劉福春・李怡 主編

民國文學珍稀文獻集成

第一輯

新詩舊集影印叢編　第14冊

【康白情卷】

草兒（下）

上海：亞東圖書館 1922 年 3 月版

康白情　著

花木蘭文化出版社

國家圖書館出版品預行編目資料

草兒(下)／康白情　著 — 初版 — 新北市：花木蘭文化出版社，
2016〔民 105〕
160 面；19×26 公分
(民國文學珍稀文獻集成・第一輯・新詩舊集影印叢編　第 14 冊)
ISBN：978-986-404-622-5（套書精裝）
831.8　　105002931

ISBN-978-986-404-622-5
9789864046225

民國文學珍稀文獻集成・第一輯・新詩舊集影印叢編（1-50 冊）
第 14 冊

草兒（下）

著　者　康白情
主　編　劉福春、李怡
企　劃　首都師範大學中國詩歌研究中心
北京師範大學民國歷史文化與文學研究中心
（臺灣）政治大學民國歷史文化與文學研究中心
總 編 輯　杜潔祥
副總編輯　楊嘉樂
編　輯　許郁翎
出　版　花木蘭文化出版社
社　長　高小娟
聯絡地址　235 新北市中和區中安街七二號十三樓
電話：02-2923-1455／傳眞：02-2923-1452
網　址　http://www.huamulan.tw 信箱 hml 810518@gmail.com
印　刷　普羅文化出版廣告事業
初　版　2016 年 4 月
定　價　第一輯 1-50 冊（精裝）新台幣 120,000 元

草兒（下）

康白情 著

鬬虎五解

一

誰能剪虎底爪，取他們底牙？
不能，就莫如聽他們自鬬。

二

我們眞不能剪他們底爪，取他們底牙麽？
不要因爲我們只是徒手呵！
趕緊修好我們底槍，
裝上我們底彈。
他們鬬的要鬬死了，
鬬的要鬬傷了，

——至少也要兩個都倦了。
不然，他們又要鬪餓了！

三

我們不要惜他們，
所以我們不要勸他們；
因爲他們在一天總是要噬我們的。
我們不要恃他們，
所以我們不要助他們；
因爲他們在一天總是要噬我們的。

四

鬪虎雖不免要蹧踏我們底糧食，
但沒有了他們，我們就永遠幸福了。

五

鬬呀！虎呀！鬬呀！
鬬而死誠不若鬬而生；
不鬬而生又不若鬬而死！

（七月十三日，九廿）

孔丘底逃亡

盜跖致來覺書給孔丘說：
「來，來！
願你入夥！
我們有金燦燦的衣；
我們有香蓬蓬的飯；
我們有住不完的高樓大廈；
我們有喧赫的光榮，
甚至於有千秋萬世的光榮。
我們誠意地歡迎你。
你要甚麼我們都給你。

而且我們給你預備了頂華美的寶座。
來，來！
願你入夥！」
孔丘也十分感謝他們底誠意。
但他只得答謝他們說：
「謝謝你們！
這些東西我都用不着。
要是當眞愛我，
何不你們自己出你們底夥？」
他們又致來哀的美敦書給他說：
「來，來！

你必得入夥！
我們不能隨便放鬆你。
你不能不受我們底拍舉。
你必得入夥！
不然你便自殺！
不然我們便只有最後的手段對付你！
來，來！
你必得入夥！」
他決不入夥。
他又不能無誠意地入夥。
他決不自殺。
他也不能螳臂當車地和他們宣戰。

他只有痛哭。
他只得抱了上帝底木主逃亡去了。

（七月十五日，九江）

律己九銘

一

天地不是你底父母；
包羅天地的才是你底副象。

二

如廁是早起後第一件大事；
勞動是日間第一件大事；
少用心是晚上第一件大事
打拳，看星子，是臨睡前第一件大事。

三

除了淸風明月，

沒有一樣可以是你的。

四

我要做就是對的；
凡經我做過的都是對的。
隨做我底對的；
隨丟我底對的。

五

不要背我以話天下後世；
不要工具天下後世以奉我。

六

問乎你的是最可愛的；
不問乎你的是最可憐的。

忠你最可愛的；
恕你最可憐的。

七

有孺子歌曰：
「滄浪之水清兮，
可以濯我纓；
滄浪之水濁兮，
可以濯我足！」
纓和足都是我們要濯的。

八

每到吃飯底時候，
想想你這頓飯吃不吃得值得？

每到睡覺底時候，
想想你今天底事做完了沒有？

九

石門晨門說：
「是知其不可而爲之者與？」
孔丘說：
「其爲人也
發憤忘食，
樂以忘憂，
不知老之將至云爾。」

（八月，西湖）

弔敵秋

「敵秋死了！」
忽從郵片上讀來這麼四個字。
但我並不吃驚，敵秋；
我早知道你要死了！

我在松社裏和你第一次握手，
我握着你底手是這麼滑膩的，
我看你底顏色這麼白，這麼紅，
我覺得你底眼裏這麼多情，
我頓時深爲吃驚。

我早知道你要死了！
和你一樣的氣質和我握手底朋友
經我預言他要死的
加上你五個了。
當日你獨匆匆地先去，
（卅日踏青會裏便先折了你一個！）
你和我相別第二次握手，
我頓時更爲吃驚。
我早知道你要死了！
「敵秋死了！」

我早知道你要死了！
聽說你爲悼亡你底夫人而死的。
歐秋，中國社會也太冷酷了，
獨你不恤作殉情底犧牲，
我相信你沒有死！
——你和你底夫人都沒有死！

（八月，西湖）

西湖雜詩十九首

一

月下遙來隔船底簫聲，
去年底西湖還認得我。
我只當囘家一樣。

二

俞家底阿毛是很好玩兒的。
我常拉着𡚸底手說：
『毛妹妹，乖不乖？
我教你唱一個上學底歌兒好不好？』
𡚸也愛拿手挨挨我底臉兒。

三

德熙也愛俞家底阿毛。
一天我又拉着她底手說：
「毛妹妹，
你愛德熙些麼？
你愛我些？」
從她嫩牙齒的口裏答出來的是：
「我一樣地愛你們！」

四

越熱越要跑得快；
越跑得快越要熱；
越熱越要跑得快。

從盤際一口氣跑上北高峯，
熱都騰上頂門了。
回頭忽見白亮亮的錢塘江，
城郭湖山盤在我們底眼底，
我不知道要怎麼樣寫他，
我只有說不出的愉快，
——血汗換來底愉快！

五

明天我們不要再爬山了。
因爲山花都插滿我們底頭上了，
只怕要愛鮮的，又不忍棄萎了的他們。

六

藍二太太很疼她底女兒；
她底女兒卻不那麼疼她。
但她還是很疼她底女兒。
她疼不着她底女兒竟來疼我們，
竟把她給她買底話匣子都拿來送給我們了。」
我們倒不寂寞了，
只是寂寞了藍二太太。
哦，祝福你藍二太太！
我們倒是很疼你的，
只願你底女兒再自己去疼她底女兒！」

七

我們剛送德熙出俞莊，

淚從一泄紅光裏就閃到他底眼裏來了。
我心裏想着說：
「德熙，不要罷！
我還要到南京來看看你才出國呢！」
但我始終不會說出口來。

八

遼子說：
「都覺得我底肉甜，
誰嘗到我底心苦呵！」

九

遼子呵！
我嘗到你底心苦的。

但我要你解解我底熱，
我只得把你囫圇吞下去。

十

凡經我做過的都是對的。

十一

中元節底前一晚上，
燒香的便忙着趕上上天竺。
滿湖的浮燈；
滿夜的鑼鼓。
西湖公園裏正好捉迷藏，
只是俞老太太走不贏。

十二

雷峯上底狗吠生客，
我用手去摸摸他底牙，
他們把舌來舐我。
潤斯笑我，說：
「狗都親熱你！」
我說：
「我都親熱他呢，
怎麼他不親熱我？」

十三

夕陽梭下北高峯，
滿天滿湖都紅透了。
遠近暗綠的山襯着杭州繞湖一帶底紅粉牆。

雷峯塔底上半截最後還顯他底泥金色。
一些不可理解的東西卻醞在我底心裏醱酵。

十四

白薇花落了。
儘讓他落去罷。

十五

東西要是可以有主的，
請問問法相寺底老樟樹。
問他還認不認得俞家底少奶奶？

十六

石壁上那裏也塗得有些人名字。
但我們總覺得沒有一個我們知道的。

陟屺亭底石柱上，卻題上好些個衆人都知道的了。
我才和舜生商量着：
「假使馬克斯將怎麽樣解決這個問題呢？」

十七

從毛家舖跑到龍井，
跑到紫雲洞，
跑到虎跑，
我們底脚都跑得很燥了，
才下一陣偏東雨來潤潤我們。
雨卻不停了。
我們只得赤脚紮褲，

戴了衣服做底斗笠跑回來。
半路上雨又停了。
斜陽照出滿天地的金光。
東邊吐出兩道七色的長虹。
我們在喜洋洋的綠芭茅裏蹣跚着，
好像扮了脚色在演著色的影戲。

十八

我總想問問西湖底神：
「假使電車路修到上天竺，
眞就使這些山俗了麽？
假使湖裏行駛小汽船，
眞就使這些水沒有古銅色了麽？」

十九

德熙去了，
少荊來了。
少荊去了，
舜生來了。
舜生去了，
葆青絲霤終歸在這裏。
誰配管傾湖山呢，
我卻暫時作他們底主人？

（七月至八月）

草兒

送翟蘊玉夫人和她底果得兒往北京

一

當果得兒才生了不久，
姝子就給你寫了幾行信來，
髣髴記得說：
「恭喜你呵！ 蘊玉！
恭喜你做了老太太了！
只是，可惜了！
賢母良妻之中更可算了一個了，
為了「人」去做「人的」事的卻怕要少了一
個了！」

260

不錯，我想，
或許也不錯！
但我總還想問她：
領了小孩子，眞就不能做超於賢母良妻底事了麼？
爲了「人」去做「人的」事，不是所有的人底事麼？
那麼誰還去生小孩子呢？
—我相信要做賢甚麼良甚麼是做「人的」事底起碼的事。
如今，我卻可以更相信你了—
你不是正還要往北京去求爲了「人」去做「

人的「事」底工具呵？
哦，上帝怕你辛苦了，大約先安慰你一個小孩子！
願你謝謝上帝！
但果得兒卻穩穩地睡着，甚麼也不管他的。

二

這麼一個莊嚴璀燦的世界呵！
但上帝自己知道他沒有甚麼本事，
儘丟下些機會給了人們就不管了。
人們卻不爭氣，
要打仗，
要爭風，

要互相食。
都開他們底篩子，那一篇不記着這些東西呢
？
這麽一個血腥的世界呵！
我相信只有美和愛洗得掉這些個血腥。
我相信只有婦人和小孩子充滿了這些個美和
愛。
我相信只有婦人和小孩子底世界到了，這莊
嚴璀燦的世界就現出本色了。
哦，我們大家都拍起巴掌等着你們呢，
「走呵，朋友！」
但果得兒卻穩穩地睡着，甚麽也不管他的。

草兒

（九月七日，上海）

答五妹玉璋

春哥兒，我底么妹兒！
好幾年沒挨你底臉了，
你怕長得這麼高了呢！
你底信眞寫得好呵！
你還記得我帶你去抓花生跌到堦緣下麼？
我一邊讀你底信；
我底鼻尖上和眼角裏一邊止不住辣。
我很恨我不能敎你的書！
那幾年我愛抱着你親嘴。
六年後我回來還要抱着你親嘴呢。

六年後我囘來或者你已經嫁了——
你會不會害羞？
我說，這是沒有甚麽害羞的。
你好好地讀書，
好好地帶着晚晚讀書，
還是……
春哥兒，我底么妹兒！
六年後我囘來還要抱着你親嘮呢！

（九月十日，上海）

『還要加呢！』

「不加了！」底反應。詩是我底詩，這兩句話卻是舜生底話。孔丘說：「詩三百，一言以蔽之。曰，「思無邪。」」

醉人醒了。
他還在愛底河上坐着。
他底瓢舊了。
河裏充滿了冷酷的沈默。
青草蹊蹺着美睡。

草兒

水也太薄了；
河也太廣了；
醉人也太不才了；
他都知道。
但他想——
還有一滴淚便是要加的；
還有一滴血便是要加的；
淚乾了，
血盡了，
用瓢加過底痕跡是不滅的；
波起麽？
不起麽？

268

不是他加水的所宜問的。
他說：
「還要加呢！」

（九月，上海）

一封沒寫完的信

四五個月沒有家裏底信了，
忽然接着她一封白紙的長信。
我便不忍讀他，
便安頓了一副熱淚去讀他。
字字的青椒，
字字的梅子，
——是一封沒寫完的信。

她說：
「七月十三日從九江底來信收到了。

她說：
「你底婆老了。
她又常常生病。
她成日家念着她底孫兒；
她成日家把臉洗着她底淚兒。
她好容易盼到你可以回來，
如今你卻不回來了！
她說，她會看不到你了！」
她說：
「你底媽頭白了。

她算着你今年要回來，
她天天總對我們說起你：
她說，你今天怕離了北京了；
她說，你今天怕到了漢口了；
她說，你今天怕到了重慶了；
她說，你今天怕要回家了。
她總把甚麽東西都給你留着！
如今卻盼到你底信回來了。」
媽說：
「你底大姐嫁了；
二姐還好；

弟弟已帶了小孩子了；
三妹底小孩子壞了；
四妹也嫁了一年多了；
五妹和六妹都長得這麽高了。
他們都眼巴巴地盼着你回來。
他們盼不到你回來，卻倒來勸我不要惡氣
！』
她說：
『你不要問我！
你也不要念我！
我病了！

草兒

我底病重了！
你幾年來問我，
我總不敢提起我底病；
我只怕你惡氣。
如今——
誰能小別十年呢？
我往回念你，
只想接着你底信；
這回接着你的信，
卻又不像往回念你了。
我病了！
我底病重了！

我就有些好歹我也心甘。
你給我寄底東西，
我也並不望你底東西。
我也不要你給我買藥。
我底病也不愛給你寫得。
…………」

（九月十七日）

答別王德熙

德熙！
我底德熙！
送別我底詩讀過了。
我有甚麽呢？
我只有滿腔熱血。
你也知道我只有滿腔熱血。
你說，很看重地給我說，
「蓄住滿腔熱血；
走到那裏，
酒到那裏；

洒到那裏，
紅到那裏！」
德熙：
我底德熙！
我底熱血沸了！
我底熱淚勝到眼裏了，
人家說，
血是不可以許朋友的。
我底血卻全是要給朋友的。
我只有回答你說，互相勉勵地說
「蓄住滿腔熱血；
走到那裏，

洒到那裏；
洒到那裏，
紅到那裏！』
我更敢對世界上所有的好兄弟好姊妹說，
「蓄住滿腔熱血；
走到那裏，
洒到那裏；
洒到那裏，
紅到那裏！』
德熙！
我底德熙！
我底熱血沸了！

我底熱淚滾到眼裏了！
我先到阿美利加去等你！

（九月二十二日，上海）

風色

旗呀！
旗呀！
紅黃藍白黑的旗呀！

（九月二十六日，上海）

別少年中國

黃浦江呀！
你底水流得好急呵！
慢流一點兒不好麽？
我要回看我底少年中國呵！

黃浦江呀！
你不還是六月八日底黃浦江麽？
前一回我入口；
這一回我出口。

草兒

當我離開日本回來底時候，
從海上回望三島，
我只看見黑的，青的，翠的，
我很捨不得她，
我連聲唄出幾句
「山川相繆，
鬱乎蒼蒼。」
直等我西盪黃海，
平覺到我底少年中國，
我才看見碧綠和軟紅相間的，
我底脈管裏充滿了狂跳，
我又不禁唄出幾句

282

「江南草長，
羣鶯亂飛。」
黃浦江呀！
你不還是六月八日底黃浦江麼？
今天我回望我底少年中國，
她還是碧綠和軟紅相間的，
只眉宇間橫滿了一股秋氣，
——「嫋嫋兮秋風，
洞庭波兮木葉下。」——
你黃浦江裏含得有汨羅江裏底血滴麼？
少年中國呀！……

我要和你遠別了。
我要和你短別五六年——
知道我們五六年後相見還相識麽？
我更怎麽能禁唄出幾句
「對此茫茫，
百感交集！」

我樂得登在甲板底尾上
酹我靑春的淚
對你們辭行：
我底少年中國呀！
願我五六年後回來

你更成我理想的少年中國！
我底兄弟姊妹們呀！
願我五六年後回來
你們更成我理想的中國少年！
我底媽呀！
我底遱呀！
願把我青春的淚
染你們底白髮
願我五六年後回來
摩挲你們青春的髮呵！

（九月二十八日，支那船上）

草兒

286

草兒

附錄一

味蔗草

離家之北京

强顏還爲笑，長揖致遠游。雨肥慈筍坼；風擠白蘋秋。聲聲珍重語，但聽怕回頭。

（一九一六年九月二十一日）

解嘲

男兒不怕羊裘薄；還典羊裘作酒錢。數得賊頭六十四，「功成當在破瓜年！」

（九月二十一日）

過黃河橋

　萬里闃無人，中夜過黃河。碧天秋月明，濁流激皓波。貫月架長虹；河水極東流。列車自南來，白練綰飛舟。車聲自隆隆。河流自洋洋。上下相和鳴，天籟宏無雙。天風刺面寒。鐵索凝靑霜。銅甲耀金刀，悲涼古戰場。漢子久沈淪；雄風何微茫！對此思古人，悠悠使我傷。我原如此河，來從西海西，萬里五千年，長瀉無窮時。我欲如此河，窮流東海東，黃波盪白流，大地浴薰風。舉手屬黃河：「平流且莫哀！中國有少年，紫氣函谷來。五洋爲尾閭，門戶爲君開。少年氣如虹，取日摘天英；風馬復雲車，馳騁返崑崙。少年無東西。少年無古今。少年復少年，生子又生孫——

（十月二十一日，京漢鐵路車上）

弔黃興蔡鍔二將軍

憑弔將軍意，心傷敢自除？武臣猶根蒂；四
海未桑麻。我亦楚人子；彈淚祝蟃蝸——

（十一月，北京）

寄全鑑修天津

嘉陵山水秀，間氣茁奇英。頻年猶豹變；少
小自龍文。傾心君弟久，何時更晤君？

（十二月，北京）

遺懷三首

比來檢點從戎業，拾筆還操未了工。南郭濫竽慚畫虎；東方善謔侮雕蟲。十年讀付卵投石；六月息猶蛇羨風。知是天公將鉅任，故當着意老吾躬！

*　*

只今幸未中書毒！動裏靜觀悟本眞。但有圜腰差强意；無端捫髀又愴神。嘗邀晉客爲知已；慣與靈均作比鄰。學得愚公訣以後，不知津處巴知津。

雲山處處誰爲主？敢戀烟霞守菟裘？閒亦爲文偏愛馬；疏於酬世但隨鳩。沈潛已作沾泥絮；得失渾如不繫舟。惟笑書生干底事？百年担負爲民憂！

（十二月，北京）

題仕女畫幀

搔慣雛摜鬟慣斜；莫愁湖上自由花。停揮笑共檀郎語，學足蠻書泛遠槎。

（十二月，北京）

東城根口號

驕風砭骨寒；雪泥撲牖緊。 重裘不禁風，猶有無衣者！

（一九一七年一月三日 北京）

夢得（有序）

昨夜夢一女郎以詩稾一帙見示，立能成誦者頗多。 醒則僅憶其一首而忘其題。 爲錄存之。

入幃警春風，窺態意轉慵。 白雲還自媚，出岫作眉峯。 憔悴羞看鏡；效妾若爲容？

（一月三十一日，北京）

戲答周永祺(有序)

自四川寄詩云：「荷花耐暑梅凌寒，各凛孤標適性天。莫道六郎無顏色，未甘裝玩鬬春妍。」蓋解嘲也。

何處適生卸暑寒？無何有地自由天。劇憐盆供深閨裏，不及山花隨意妍！

(三月，北京)

天津橋憶家

春陽冶雪江湖浪；細雨濕花燕子衣。淒絕天

津橋上客，憑欄不聽子規啼。(一)

(四月四日，天津)

(一)昔人詠天津橋者，多指洛陽城西之天津橋，此特觸機而借用之耳。

暗香 寄鞋爲文淵夫人壽戲作

玲瓏輕巧；想濕紅襯砌，碧烟籠道。 誰向宓妃，塵裏偷來一分縹？ 料說騂梅入手，試茸榻，鬆蔽細踏；更暗裏輕問六郎，(一)合式知多少？

年少；春光好。 惜蠶樣餘生，煞難同調！綺思空緲：知夢羅浮餘香裊！ 莫任百錢棄卻，留待證，他年泥爪；話舊雨，泛遊爲，飛花傾倒。

（四月，北京）

（一）文淵嘗有句云，『六郎憔悴藕花風』，爲時傳誦。又嘗寄我詩曰，『莫道六郎無顏色』。文淵固裙屐少年也。

踏莎行 自題小照

開遍蘇蘼，香殘荳蔻，壯膄笑看花枝瘦。忍心偏道不傷春？傷春能令春歸否？

但種黃花；（二）漫拋紅豆。燕臺何處尋屠狗？人間遍地盡荊榛，敢忘起舞雞鳴候！

(一)蕘草，吾鄉謂之黃花。

（五月，北京）

三妹玉光于歸寄懷四首

忽聞君嫁菖蒲節，再度紅榴倍憶家。雞爪山(一)前花事鬧；虎坊橋(二)上夕陽斜。豈無蘇老破天石？可有張仙浮漢槎？我欲御風風不願，徒拋熱淚向雲花！

記得舊時休午課，紅蕉深處話關懷：三張衛草金針欹；一曲春花(三)俗念揩。多謝緝貽卍字絡；

最慚辜負合歡鞋！(四) 幾年姊妹都歸去，閒煞苔痕自掩堦。

•

蘆蒿三五婆娑劇，淺草橫塘弄碧荷。 日麗赤楊篩倩影，風搖翠管振鳴珂。 迷離蟬子因聲覓；澔汗花蹤(五)信手摸。 他日舊游重到處，不堪回首叫哥哥！

•

底事女兒須有嫁？ 非關惜別使人愁。 多君相得乘龍壻；愧我詩成嚼蠟嫗！ 彩月催妝開寶鏡；丁香送暖掛銀鈎。 願君相敬還相愛，雙宿雙飛到白頭！

（五月，北京）

（一）雞爪山，吾家向山名。

（二）虎坊橋在北京，近予寓所。

（三）近日學校流行之歌曲有春之花。

（四）三妹有新鞋，予嘗借著之，戲與之約曰，妹嫁，且買更好者相償。　而今未能也。

（五）稻田有小魚若彩鱗者，吾鄉謂之「花發」。

悼礽妹

忽傳君物化，長笑有盈詞。　未覺生之樂；焉知死可悲？　儐郎甯作婦！　阿伯自無兒！　轉憶貽紅橋，霑襟淚若絲。

（十二月，北京）

斷句

濺我黃兒千斗血，染紅世界自由花！

（一九一八年一月，北京）

自題小照 集莊子句

肌膚若冰雪；綽約若處子。　韜乎，其事心之大也！　沛乎，其爲萬物逝也！　許由曰：「殆哉，岌乎，天下！」　莊子曰：「聖人已死，則大盜不起！」　其視下也，亦若是則已矣。

（二月，北京）

醉蓬萊 壽劉太師母八秩

有傳家盛業，碧浪連阡，縹緗千卷。萬種龍材，幾遠孫孳衍。庭滿謖花，砌榮蘭桂，想陽和何限！酒泛醬薇；饌烹鵑笋；爨炊烏飯。

聽道當時，北牆南畝，剪穗抽絲，種梅留莢。勖履延年：甚海籌須算！珠履三千，金釵十二，惜路迴人遠。滿注紅螺，遙觴金母，獨天雲畔！

（五月，北京）

題仕女繡幀 為劉天全世姊

蝶態翩躚草意榮，天然逸趣趁晴生。端詳小步臨風立，一任楊花上下輕。

（八月，北京）

河上

慵慵春陽，汎汎河冰。枯柳之稊；赤子之心。

（一九一九年一月十二日，北京）

除夕詩 戊午

我生二十二，二十三度度除夕：十七除夕我在家；六度除夕我在客。未覺客裏除夕之可悲；焉知家裏除夕之可樂！

人生幾除夕？可讓等閒過？醵飲博一歡，知君意如何？大椀酒；大塊菜；烹鯉魚；作牛膾；坐團席；梁山會！少年重意氣，曲謹之文安足介？

座上有雛明，雛明出臘肉。臘肉美且旨，鄉味自芬馥；我拈七八片，片片生根觸。根觸成何事？今夜豈宜論？今夜惟狂樂，岸然引一樽。莫談時！莫談學！莫談兵！豈有鄉譚費下酒？各抒野語藉開心。人生幾除夕？除夕正如此：去來雨不知；年光逐流矢。當前不自樂，我生爲何事？

飯後還品茗；倚枕競談瀛。無端辨意志，引起秀才之酸味。我言意志不自由。雖明言意志自由。自由不自由難言，且盡一甌再一甌。

＊　＊

去，去，出門去！團鑪枉幹麼？乘興訪樸園，踏雪沿北河。同行盡何人？且初，一峯，我。談笑不知寒，安步以當車。

樸園主人已早睡，忍拚除夕不守歲。爲問何者塵俗何風流？愧我就遊忘實利！

歸來歲暗移，還草除夕詩。我詩無成心，揮毫信所之。我毫何易殭，一呵寫一辭！

人生幾除夕？幾度除夕好？除夕復除夕，

草兒

朱顏年年少。除夕何其拙；人事亦何巧！我有三除夕，作客在北京：前年除夕夜，不聞爆竹聲；去年除夕夜，禁止慶新春；今夜又除夕，居然視太平。徹宵鳴爆竹；絲管響入雲。街童惡作劇，敲門送財神。謝謝誰所賜？五城頤一人！繞室起徘徊，開戶見明星。

明星何皎潔！無語情脈脈。相看惟轉眼，如笑復如泣。

「問君笑者誰？」

「我羨驕人泰，帳裏醞羊羔，不知有帳外。」

「問君泣者誰？」

「我苦勞人寒：幾個哭山隅；幾家黔無獄；幾

處處爆竹，假寐不成眠。」

我聞明星言，未知樂也苦；萬念轉轆轤，煢煢一無主。安得好快刀，斬我泯棼難理之心緒！

浪淘沙

花市靜無嘩；元夜空賒。願隨芳草夢雲涯。
卸罷晚粧還小立——誰院琵琶？
竹影半篩斜，搖上窗紗。儘將清淚洗年華。
垂幃不關風意惡，怕看桃花。

（二月，北京）

祝川滇黔旅蘇學生會週刊

乃與南訛；遂化竆桑。七日來復，而與世終！

（七月，上海）

傑士吟

哈佛三傑士，(一)聲名動瀛寰。日本有伊藤，赫然并朝鮮。美國羅斯福，政績著兩間。中國有嚴復，浩氣假華年。歸來清天下，挾策王公前。乃懾中學疏，下幃復改絃；幾歲大業成，中西一貫參。無如舉世醉，獨醒良所難：虛心求容世，竟溺沒深淵。晚年轉無聊，學道求神仙。痛哉！誰之罪？未敢責名賢！中流有砫石；激流有長楫。海內多傑士，何以挽狂瀾？

（七月，上海）

（一）聞嚴復先生與前朝鮮總監伊藤博文及前美國大總統羅斯福同學於美國哈佛大學，俱爲著名之高材生，時人稱之云云。

西湖

一葉扁舟風裏過；半山晴盡雨中收。平生識得西湖面，鱸膾蓴羹樓外樓。

（八月八日）

蟄雷亭

蟄雷亭上蟄雷響，堤銷碧潭一鏡開。百代冠裳人盡去；半天晴雨我初來。山花帶泣紅於血；渟石能春老不摧。懸瀑怒飛知有意，奔流山外洗塵埃。

（八月九日）

靈隱山遊

翡翠竹千箇；瑽琤泉幾灣。峯迷雲有脚，烟雨憶巴山。

（八月九日）

風雨亭懷秋瑾

十年浩氣今猶在：劍草血花着意染。芳塚有情埋俠骨；暮蟬無那動秋聲。

（八月十日）

蘇小墓

踏遍西泠尋艷蹟：長松何處？柳條新。荒涼莫道餘坏土，萬古湖山一美人。

（八月十日）

岳王墳

岳王墳後千年柏，勁與岳王墳土儕。幾度懷公還自顇，等閒怕白少年頭！(一)

(八月十一日)

(一)岳飛嘗有詞云：『莫等閒白了少年頭，空悲切！』

棲霞洞

逃暑棲霞洞，冷然欲化仙。才通三曲徑，又是一重天。爛滴疑銅溜；妖苔著翠鈿。缺巖斜照入，石口噴金烟。

(八月十二日)

玉泉魚何幸二首

玉泉魚何幸！乃游清水池。潛伏未假石；亦無蘋藻貲；矜鱗不畏人，悠然弄美姿。何如在江湖，驚游避釣絲？乃知魚之樂，喚喁在不疑。相習無相害，物我自忘機。

＊　　＊

玉泉魚何幸！其長數盈尺。千百亂成羣：有黑亦有白，有紅亦有黃，異種自爲色。生子逾億萬，存者百無一。存者皆非適？亡者亦安惜？生生不相食，五洋爲之溢！

（八月十二日）

三竺晚歸

山徑迷來路，潺潺水激流。蜻圓窺短樹；蛩韻瞥新秋。涼話僧初歇；悲歌客正愁。縱談天下事，野渡待歸舟。

（八月十三日）

放槳歌（有序）

痛游西湖者六日。楚僧枚孫大鵬並先後返上海，惟劍翛日葵祖烈與予尙作最後之流連。是夜返自三竺，放槳湖中，逐幽境而上焉。不禁樂極悲來，大呼『天地無情』也！

爲作此歌。

放槳西湖信舸行。 路轉淒迷，夜傳清。 四廂客橈響復停；水天如鏡漾月明；「天地無情」狂嘯聲！ 忽見鴉綠似有村，柳枝低亞石崢崢，雲山相留水爲隣。 我爲探奇此攀登。 月滿花枝花滿庭；花影搖搖壓人輕；戀人花月不忍行；不知花月戀誰人？ 垂藤滿架對湖心。 宿鳥無言總未驚；鷗猶貪游戲野濱；魚控清波皺月痕。 風送菱歌上水亭；花氣荷香不可分。 蟲吟唧唧撩客魂。 洞簫一曲寫秋心。 村犬驚客吠柳陰。 槿籬茅舍紫薇門，隔院鞦韆笑語聲。 客盡淒然不肯聽。 標緲遐思入浩冥：豈有凌波降湖神！

（八月十三日）

題仕女美術照片十首

一

年時折簡苦相招：細柳劉園有竹橋；若箇平溪明似鏡，春游偏忍負寒朝？

二

餳簫聲裏鬪晴嬉。荳蔻薰香柳染衣。四月陌頭花正好，怪儂端只愛薔薇！

三

晴新新製羅衣新。晚歲新妝尚領巾。最是

不梳頭最好。　櫻花爛漫寫天眞。

四

盤松怪石襯相扶；野草迷原亂不梳。　就說不知涼坐久，落花三點上蠻書。

五

白石磴邊柳岸斜。　紅亭在望半松遮。　爲憐池水清漣甚，故把縠巾洗浪花。

六

不知歡笑不知愁；閒釣碧雲伴水鷗。　日倒潭光成二影，蘋花魚子戲人頭。

七

滿徑松涼絕可憐。　采聲飛度石闌干。　倩君長笑攝君影，留得他時愁裏看。

八

繞過格欄又短橋；臨流一憩悶都消。非關秋至捐團扇；要惹雙蛾上草梢。

九

幽篁箇箇草絲絲，正是新涼欲滴時。獨倚柏扉數葉落；問儂心事麥風知。

十

漫坐垂楊聽晚鴉；織娘飛躍點裙紗。暗喚織娘休遜去，儂將攜汝醉流霞。

（一九一九年秋）

明陵感懷

已過百年畢帝業，猶誇坏土衛皇居。人間青史惟傳恨；令我欲燒故代書！

（九月二十三日，南京）

雨花石寄絳霄

最愛雨花台畔石，含葩姿態糾蕉心；臨池怕寫六朝事，寄作雲箋話古今。

（九月二十三日，南京）

草兒

遊罷大明湖，還訪圖書館。中庭寂無人；園花紅照眼。朱椽襯丹楹；石崖封綠蘚。隔牆唏笑聲，嬌叱聞女伴。暗驚此地殊，男女豈合覽？山東產聖人，尊文垂古館；況與東鄰接，歐風宜未晚。猗歟頌山東！何憂宗國殄？無何閽者出，相看目閃閃。乃言：「有女賓，今日屈公返！」我謂：「此地殊。誰能設私宴？」閽者重致辭：「是則誰肯敢？此地重禮防，男女分日限。每周分七日，按周隨流轉；男五而女二，勿得相越犯！有館二十年，此例由來遠。」至哉歎聖丘！休風良可羨！

（九月二十七日，濟南）

掃葉樓雅集(有序)

一九一九年十二月十二日，茗談于南京之掃葉樓，同遊有德熙曉園熙文啓潤偉娥口口，商工讀也。

此地最宜掃葉詞：臙脂井水，湖邊茶。

躬耕本是書生事；他日歸來種豆花。

寄家內

「五四運動」既起，予鞅掌國事，疏作家信者逾半年。家姐玉如，內子瑞仙，舍弟中量，並先後以書抵樸園，旁詢予蹤。實則予晨夕憶家，而每當智竭力窮，尤無不默禱吾母也。噫！予過矣！

半年莫怪無消息；南北奔馳爲國忙。愛得國來國亦棄，更從何處認他鄉？　啜菽惟覺道心苦；涉世空誇御脛長。拍案幾番歌杜宇，卽今猶此女兒腸！

（十二月二十九日，北京）

瑞仙問我歸期，賦此報之

四年別離咏，應有袖巾知，梔子初肥日，韻紅欲燼時。相隔五千里，相思，信亦遲。相見惟此心，相見月明時。安得盧蚘術？夜夜凌盧馳！昨夜夢見君，但有泣別離。今日得君信，問我幾時歸。一語還報君，記取驪衣時。君看簷角上，蟢子已結絲！貽我合歡被，孤眠幾四時；貽我藍絲袋，猶是新裁時；貽我夾緞袍，縫破猶在笥。舊物未忍棄，得勿為君嗤？倩君漱胆瓶。倩君熨輕衣。倩君早熟眠，存神須及時，——約君三夜話，和淚寫相思！

（二月二十二日，上海）

塔硐公園口號

此地去年聞獨立；鴨江爲暖，海爲寒。只今猶見英雄血，半著櫻花半杜鵑！

(五月二日，朝鮮)

登南山(有序)

南山，朝鮮畿內之高山也。登之，可以鳥瞰京城。怪石巉巖，松林蓊鬱；獅子山諸峯峙其北，內苑之山拱其西，環以城郭田園之美；爲京城絕勝處。白日銜山，士女之提壺掛杖於其上者絡繹；然什九爲日本人，而朝鮮人則不多覯云。

俯仰南山上，巍然接帝衢。雲來峯影削；春去鳥聲孤。「花見」多妖女；(一)狂歌剩酒徒。天闊蒼未破，畢竟有情無？

(五月二日，朝鮮)

(一)日本看花謂之「花見」。

小田道中

島國秋雨後，烟笠遍畝中。溪草含情碧；山花拼命紅！ 蛙聲敲不斷，還來慶吾農。

(五月四日)

三溪園

一九二零年五月十八日，一涵約遊橫濱，日葵壽椿彥之俶新俱焉。視察畢事，乃由中華學校校長李熙斌君大同學校敎員關素人君之引導，往遊三溪園。惜以中道遇雨，倉卒皮相而返。然而絕巖臨海，則猶爲此生第一奇遇也。

上山復上山；行游三溪園。山路何紆曲！
急行汗漉漉。山徑滿長松。仰望見游虹。行
行天欲雨；何處是極峯？何處是極峯？總在此山

裏。埋首但急行，不必東西指。高坎立前路，未敢一迴視。過眼盡青葱，已去兩三里；忽到天盡頭，駭然臨大海！碧天泛彩霞，波光盡紅紫。左灣而右陸；寥落有荒島。街房小如豆，一帶橫濱市。往來船如織，但見飛烟起。俯瞰懸崖下，海菜漂紅藻；壁立三千丈，淵深不知底。美哉太平洋！蒼茫其何止？

贈宮崎滔天丈人

談兵說劍復論圖，指點興亡酒正酣。皓首風流久不作；又逢東海一虬髯。(一)

(五月，東京)

(一)丈人髯黑而長，愈增颯爽。嘗約再至其家賞玫瑰花，未果去，有來報之曰：「玫瑰花之約，卒以百忙未赴，將致園林笑人矣。夫人手闢之蕊，得勿以待客而殹也？假我天緣，當爲數落髯於白秋之後！」蓋以美髯公擬之也。

贈宮崎龍介

人道君含革命血；(一)我今所見亦如之。五侯驕慣石崇泆，想煞當年江戶兒。

（五月，東京）

（一）君爲滔天丈人哲嗣，去年曾以主撰解放，見嫉於日本政府，避地中國。君父少年任俠，浪跡江湖，爲著名之革命奔走家。戴季陶君嘗謂君含革命血者也。

琵琶湖（有序）

琵琶湖距京都不遠。四圍皆山，湖在山上，與日光中禪寺湖同。沿湖有『近江八景』。湖內行駛小汽船，以利遊人。

繞湖亂山青；平湖緲水綠。唐橋復唐松，（一）

盡日看不足。

（一）唐崎有大松，古幹杈椏，周圍翳蔽殆及百丈。

疏水（有序）

琵琶湖如水盛椀內。疏水者，鑿其椀使穿一洞，而使其椀內之水自洞中源源溢出者也。穿隧道約經二十三分鐘始見天日。洞外沿山腰築運河，曲折達京都。其末流築叠閘，利用水力發電；京都全市利賴之。

隧道三十里，低頭忽見村。曲流急於箭；船

在半山行。

（五月二十八日）

大阪城（有序）

大阪城爲日本戰國時代豐公豪華之遺物，三百年前江戶大阪講和條約埋、於是，大阪第一名蹟也。明治初年失火，樓閣概歸灰燼。今惟遺型尚存。叠巨石以爲壘，湛深碧以爲濠，想見古英雄陳利兵而誰何之概。城內日本第四師團司令部駐之。

迴覽大阪城，荒涼傷頹壞；城外突飛烟，又見兵工廠！

（六月二日）

雞鳴寺雅集（有序）

一九二零年六月十二日，便道過南京，德熙克仁禹九爽秋守一澤如雲卿相約茗談於雞鳴寺。

玄武湖風，蓮葉白；紫鞍山夕，晚霞紅。座上少年皆意氣：百年身世一談中。

長相思

怕棲遲，想棲遲，露重月濛人睡時，風沈蛛網垂。

有見期？無見期？獨倚紅欄理亂思。簫魂冷別詞。

（六月十五日，北京）

碎碗辭（有序）

予約七月歸家，十月即將去國。束裝既竟，而川滇黔閩猶之鬩適興，揚子江上游水陸並阻。壽椿志希紀鴻均尼予行。徘徊中夜，計莫能決。遙思白髮龍鍾之祖母與衰病之母與愛思之少婦與吾兄弟姊妹團坐金銀花架下納涼，共數歸期，不覺熱情中燒，急走欲狂。乃力擲桌上之碗而碎之以爲快。予志遂決。且至漢口而熟察其形勢耳。

必爾碗兮！爾何不思爾有母兮？爾豈無兄弟姊妹偕爾伉儷兮？我則有之，而不能見之。吾碎汝！其奈我何？吾碎汝！其奈我何？

（六月二十六日，北京）

黃鶴樓上酒興（有序）

七月四日，歸至漢口。聞川路梗塞，迺歸之念全消。乃訪惲代英于武昌，約其同登黃鶴樓；未果。遂獨酌于其上。

高樓迴望漢陽渡，揚子翻黃漢碧流。戰地鎗聲如過耳；客裝劍氣欲驚秋！西辭蜀北三千里；東極江南十二州。啤酒盈尊還祭地，壽君，壽我，壽吾仇！

南潯即景四首

赤芋白蓮傍碧茶。棕林密處有田家。鯉魚風起秧如織；忙煞溝中蘆葦花。

•

匡廬昨夜雨花飛，濕透平岡淺樹衣。豬血泥

邊綠草色，綠茵襯壓紅薔薇。

綠衣紅褲不穿裙；綠色闌干綠下襟。　度得農忙辛苦過，且探娘去弄金針。

滸江蘸綠長江紅。　雲鎖匡廬猶有峯。　一路田原三百里，山山水水盡青松。

（七月六日，南潯鐵路車上）

八月二十五夜泛舟歸俞莊，用原韻

次絳霄後和潤斯

爲謝西湖柔事慾，水柔不管又山柔；主人更是柔情甚，遠逐愛香送晚舟。

與潤斯泛舟秦淮河

商女曲中聞折柳；菜傭聲裏蘸虹橈。 此遊但好評烟水，莫聽咽流話六朝。

（九月十五日，南京）

自南京返上海，行且去國，德熙口口送我於車站，不知涕泗之何從也

從來不解惜離別；此日無端淚染巾。 但記贈

言握手處，平生受用有前津。

（九月十六日，滬甯鐵路車上）

游虎邱登冷香閣（有序）

一九二零年九月十六日，與潤斯由南京返上海，途中偶商及便道游虎邱。予乃中道下車。潤斯則去上海中夜趕淑荃來蘇州。而紀鴻少荊均倉卒未與也。絳霄蘊玉則既去北京。次日，相將冒雨往游；劍池之鑑，姑蘇臺之妝鏡，皆不可得而尋矣。既而登冷香閣而望閶門，江城如畫，極目數十百里。然皆不免黯然遐思；非關風雨，根觸於偶游則然也。潤斯至謂無絳霄在，山水且爲之減色云。

淑荃潤斯並要予題壁，予亦還要之。且予又

不敢以山川之啼笑爲憂樂也。

洽亂憑誰訴？何吳問故宮。脂香泥雨濕；

劍氣野花紅。人遠天還仄。林凋鳥可通。六

洲猶有事，未忍唱秋風。

兒　草

草兒

附錄二

新詩短論

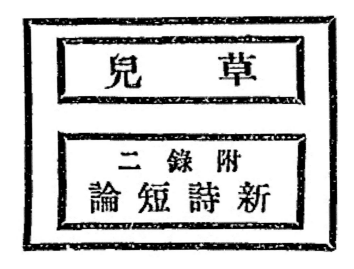

新詩短論（有引）

這篇文章是從少年中國第一卷第九期裏新詩底我見一篇改題目而成的。原來我嘗他僅以發表我對於新詩底直覺，其實差不多盡是科學的條件。不經科學的研究，絕不會有這麼鍛煉的直覺的。舊名對社會還兩個惡影響：一則令人疑他出於我獨斷的直覺，減少他底信用；再則令人誤認直覺萬能，將以一切判斷訴諸直覺。所以改爲今名。原文校勘疏漏，錯訛很多。後來經幾家叢鈔底選載，以訛傳訛，遺誤讀者不少，實在抱歉！現在除仔細校勘外，更有些須刪改。　這篇東西不詳不盡，不過規模不差，苟以當新詩宣傳底一種檄文罷了。

這篇於章尾總繫幾行新詩，半爲暗示新詩底美，半爲要作一種創格的文章——其實還脫胎於章回小說。　但是詩這個東西，大抵閱物比類，宣其性情，而不能盡究指歸。　古人傳會由我，正好引用，可惜沒有新詩。　今人健在，不敢輕于借重他們。　那麼要沒有危險，最好是引用自己的，並不是自做。　至於篇裏引用古今書籍底地方很多，因爲善忘而又圖省事，所以一律不注出處，並不是掠美。　深願讀者原諒！

當他初稿底時候，我正在繁忙的上海，實在不能作文；不過爲了或種的需要，勉强草成這篇，恰好是一種短論。等到稍有餘暇，才把他實驗地，思辨地，批評地，修改地，細密地重著出來。這些或得於啓發的直覺，或得於科學的根據，或得於朋友間相互質難底結果。去年我過南京底一夜，爲了「新詩是貴族的」一個判斷，我和六位朋友舌戰了三點多鐘。畢竟習不相虧，我在主義上承認了他們，他們在眞理上承認了我。這種的辯論很有價值。我願讀者對於這篇有懷疑底地方嚴格地批評，庶幾到底求得一個是處，更能發見許多的新義，使我能於重著底時候格外精詳，或者竟改今日底論點，那更是眞理之幸了！

一個科學家，他並不在以嫻於科學史，科學通論，和科學方法論等等見稱，而貴能具體地發見幾個科學的事實或眞理。文學家也是這樣：不僅在能批評，而在能創造。有些鄙薄批評的說，做文學家不成功才去做批評家，甚至於說，批評底書是教書匠看的，雖然偏激之論，也足見空論不足尙了。即如這篇所要說的，都是些「甚麼是甚麼」，「爲甚麼」，或「怎麼樣」，僅足以給我們些抽象的概念，而不能直接助我們產生眞正的作品；能直接助我們的，還是要「甚麼」。所以與其研究關於作品底空論，甯肯觀摩古今眞正的作品，而與其觀摩別人底作品，又甯肯自己去創造。

新詩底精神端在創造。我願世間文學的天才，努力探尋宇宙底奧蘊，創造成些新詩，努力修養，創造自己成一個新詩人！

「要煮清茶，

須親到山頭找源泉去。」

詩究竟是甚麼呢？

我說，我斟酌各家底說法而斷以己見說：在文學上，把情緒的，想像的意境，音節地，戲劇地寫出來，這種的作品就叫做詩。

那麼都是詩了，怎麼又有新詩呢？

新詩所以別於舊詩而言。舊詩大體遵格律，拘音韻，講雕琢，尙典雅。新詩反之，自由成章而沒有一定的格律，切自然的音節而不必拘音韻，貴質樸而不講雕琢，以白話入行而不尙典雅。新詩破除一切桎梏人性底陳套，只求其無悖于詩底精神罷了。

那麼詩和散文沒有分別了？

不然，有詩的散文；也有散文的詩。詩和散文，本沒有甚麼體裁的分別。不過主情為詩底特質，音節也是表現於詩裏的較多。詩大概起原於游戲衝動；而散文卻大概起原於實用衝動。兩個底起原稍異，因而作品裏所寓底感情不同；因而其所流露底節奏也有差別，因而人一見就可以辨其為散文為詩。若更要追尋為甚麼？便只好還問詩人或自己訴諸直覺了。

宇宙間底事事物物，無一樣不是我們底詩料。他們都活鮮鮮地等着，專備詩人底運用。巧匠把斷瓦殘磚蓋成一所華屋，拙匠把采椽丹楹弄來沒有了顏色，其操持都在匠心和匠手。物如的世界元是蠢的；經過心底鍛煉，才覺得有些美；更淘去較粗的美，而把更精的充量表出來，就是藝術。以熱烈的感情浸潤宇宙間底事事物物而令其理想化，再把這些心象具體化了而譜之於只有心能領受底音樂，正是新詩底本色呵。

「我想世界上只有光，
只有花，
只有愛！」

（二）

舊詩好的，或者音調鏗鏘，或者對仗工整，或者詞華穠麗，或者字眼兒精巧，在全美底一面，也自有其不可否認的價值，爲甚麼要有新詩呢？ 我想爲了種種的偪迫，這實在是必然的傾勢：

（一）社會上經濟的組織不完善，人不聊生，於是對於舊的制度文物，一切懷疑，而各色新主義應運而生，就詩壇也不能不受其潮流底撼動：一面因慣過繁賾的生活，腦質疲勞，經營物質生活之餘，更無暇用心於織巧的事，自然見着煩瑣的東西就覺得十分煩膩，想根本改造他；他一面卻因思慮過多而致腦力衰弱，轉成深思底病，又覺得膚淺的作品，不能滿足我們享樂底慾望，謹嚴的格律，簡單的形式，不能裝入我們深遠的思想，那麼只好另闢境界了。 我們看變風變雅作於周室之衰；辭賦作於戰國亂離底時候；五言盛於漢底末世；七言成於五胡亂華之後；如詞如曲，都正當宋元憂患底際會生成。 這些都是因經濟的關係而起內的反應，可以引證的。

（二）庚子拳變以後，從槍礮以至學術思想，逐漸輸入中國。中國人逐漸有了科學的腦筋，於是在詩裏也不免要想得些具體的觀念；舊詩拘於形式，不能應我們底要求，祇得革命。

〈三〉法蘭西大革命後，自然主義的文學勃興，而詩體也有一個大解放。明治維新後，日本底詩壇起了大擾動，直由新格律而進爲『自由詩』，由華詞而進爲白話。近幾年這種法蘭西風和日本風傳入英格蘭和美利加，這兩處又起了詩國底大革命。大抵麥飯過着酒娘，少有個不發酵的。

辛亥革命後，中國人底思想上去了一層束縛，染了一點自由，覺得一時代底工具只敷一時代底應用，舊詩要破產了。同時日本英格蘭美利加底『自由詩』輸入中國，而中國底留學生也不免受他們底感化。看慣了滿頭珠翠，忽然遇着一身縞素衣裳，吃慣了濃甜肥膩，忽然得到幾片淸苦的菜根，這是怎麼樣地驚喜！　由驚喜而摹仿；由摹仿而創造。去年有許多的新詩，又已回輸過日本去了。

（四）物窮則變。　詩由三百篇而辭賦，而樂府，而五言，而七言，而詞，而曲，都是循着一定的程徑，由體裁底束縛而變爲自由的。　到了曲，辭句已經用白話了；體裁已經很自由了；不作散文的詩，更可以怎麼變去呢？

（五）從歷史上看來，人羣思想底進化，是從法古而至於法今，從師人而至於師已，從地方的而至於世界的。　新詩以當代人用當代語，以自然的音節廢沿襲的格律，以質樸的文詞寫人性而不爲地方底故實所拘，是在進化底軌道上走的——進化非人力所能撳得住的。

有了這些偪迫而知道新詩底成就是絕不可免的。爲了文學底進化，我們不可不爲新詩努力。新詩底美，深藏在官快的美底第二層。我們要捨得丟掉那些鏗鏘的音調，工整的對仗，穠麗的詞華，精巧的字眼兒，庶幾眞正的新詩可得而創造了。

「暴徒是破壞底娘；
進化是破壞底兒。
要得生兒，
除非自己做娘去！」

（三）

但是，新詩底要素是些甚麼，也不可不再爲商量。曾適做詩，照前面說過的，是把情緒的，想像的意境，音節地；戲劇地寫出來。所寫的是內容；寫的是形式。新詩既有別於舊詩，我們不可不具體地更給他們一個分別。

就形式說，有音節的和戲劇的兩個作用。音節的是讀法；戲劇的是寫法。

（一）舊詩裏音節底表見，專靠音韻平仄清濁等滿足感官底東西。因爲格律底束縛，心官於是無由發展；心官愈不發展，愈只在格律上用工夫；浸假而僅能滿足感官，竟嗅不出詩底氣味了。於是新詩排除格律，只要自然的音節。

情發於聲。因情底作用起了感興，而其聲自成文采。又看感興底深淺而定文采底豐歉。這種文采就是自然的音節。

我們感興到了極深底時候，所發自然的音節也極諧和，其輕重緩急抑揚頓挫無不中乎自然的律呂。不要說詩，我們但讀大文學家底散文，其音節底和諧，不但可以悅耳，並足以悅心，使我們同他起同一的感興。又不要說散文，我們但聽大演說家底演說，其音節底和諧，也不但可以悅耳，並足以悅心，使我們同他起同一的感興。這都是情動於中而形於言，莫知其然而然的。無韻的韻，比有韻的韻還要動人。若是必要藉人爲的格律來調節聲音而後才成文采，就足見他底情沒發，他底感興沒起，那麼他底詩也就可以不必作了。感情底內動，必是曲折起伏，繼續不斷的。他有自然的法則，所以發而爲聲成自然的節奏；他底進行有自然的步驟，所以其聲底經過也有自然的諧和。音呀，韻呀，平仄呀，清濁呀，有一端在裏面，都可以使作品愈增其美；不過總須聽其自然，讓妙手偶得之罷了。

詩要寫，不要做；因爲做足以傷自然的美。不要打扮而要整理；因爲整理足以助自然的美。做的失之太過，不整理的失之不及。新詩本不尙音，但整理一兩個音就可以增自然的美，就不妨整理整理他。新詩本不尙韻，但整理一兩個韻就可以增自然的美，又不妨整理整理他。新詩本不尙平仄清濁，但整理一兩個平仄清濁就可以增自然的美，也不妨整理整理他。

「羅衣何飄飄，輕裾隨風旋！」

沒有平仄；但我們覺得他底調子十分高爽。因爲他有清濁。

「江南好採蓮。蓮葉何田田！魚戲蓮葉間。魚戲蓮葉東。魚戲蓮葉西。魚戲蓮葉南。魚戲蓮葉北。」

沒有格律；但我們覺得他底調子十分清俊。因爲他不顯韻而有韻，不顯格而有格，隨口呵出，得自然的諧和。

「滴滴琴泉。聽聽他滴的是甚麼調子？」

既沒有韻，也沒有清濁；但我們覺得他底調子十分響亮，而且有些神奇。因爲他有平仄而兼有音——就是雙聲和疊韻。總之，新詩裏音節底整理，總以讀來爽口，聽來爽耳爲標準；若到眞妙處，更可以比官快更進一層。太戈兒底園丁集裏說，「你那樣顰笑低吟，不是我底耳，祇有我底心能聽。」要到祇有心能聽，那更不用說有了自然的音節，就四圍都無處不是韻了。

（二）戲劇的作用，在把我底感興，完全度給讀者。我底感興所以這樣深，是由於對於對象得了一個具體的印象；讀者是否能和我起同一的感興，就看我是否能把我所得於對象底具體的印象具體地寫出來。　我們寫聲就要如聽其聲；寫色就要如見其色；寫香若味若觸若溫若冷就要如感受其香若味若觸若溫若冷。　我們把心底花蕊開在一個具體的印象上，以這個印象去叩人家底心；他得到這個東西，便內動地自己構成一個，引起他自己底官快；跟着他再由官快進而為神怡，得到美底享樂，而他底感興起了。　這個似乎說，詩是為人而作的；其實不然。　就結果說，這種的寫法都是為了讀者，而就動機說，只不過是迫於藝術衝動而爲自己表見。我底詩一脫藳，我自己也就成了讀者了。能引起我自己感興底再生，就能引起別人感興底共鳴。我們看，

「小胡同口，
放着一副菜擔。
滿擔是青的紅的蘿蔔，
白的菜，紫的茄子；
賣菜的人立着慢慢地叫賣。」

我們讀了就如看見的一樣。

「忽地裏撲喇喇一響，
一個野鴨飛去水塘。
彷彿像大車音波，

「漫漫地工——東——噹。」

我們讀了就如聽見的一樣。這就是具體的寫法，就是戲劇的作用。元來宇宙在橫的一面只是有，在縱的一面只是動。戲劇是最能美化宇宙動象底藝術，所以最好的文學必得借鏡于戲劇。這本是文學裏應具的通德。不過舊詩限於格律，不能寫得到家；如今新詩和散文攜手，自然更能寫得到家了。

就內容說，有情緒的和想像的兩種意境。

（一）詩是主情的文學。沒有情緒不能作詩；有而不豐也不能作好。勿論緊張或弛緩，與奮或沈抑，而我們底感情上只有快不快。由是勿論我們底情緒為歡樂為悲哀，都可以引起我們美底感興，而催我們作詩——甚且愈悲哀，在詩人底味上覺得愈美。詩人不一定都是神經質的；但當其詩與大發，不可不具神經質底作用。詩人看世界都是有生氣的；因爲要有生氣才有死氣，要有美和醜底對比才生快不快底感情。我們看一個硯池：看他和郎墨黑公管城毛公會稽楮先生相與爲友，鎮日都過的很清潔的生活；他在案上靜着，自然幽雅地和他們傍着；動的時候，便互助地成就許多有益的事。我們在這裏，覺得十分羨慕他，不管他有不有詩意，但至少總起了一點游戲的感興。又看他靜便靜着；動便動着；機械地忙着而不知道爲甚麼；成就許多有益的事而於他自已無與；就和些朋友一塊兒生活着，也只是不得不然，隨便應酬罷了。我們在這裏，又覺得十分可憐他，不管他有不有詩意，但至少又總起了一點無聊的感興。原來宇宙只是一個眞，不管人間底美不美。但我們要把他看作美或看作不美，他卻沒有法子拒絕的。情緒是主觀的；而引起或寄託情緒的是客觀的。我們要對於宇宙絕對地有同情，再讓他絕對地同情於我，濃厚的情緒就不愁不有了。

（二）有濃厚的情緒而沒有豐富的想像去安排他，畢竟也不中用。我們要讓死氣的世界都帶了生氣，都着了情底彩色，非想像不爲功。要把所要的材料加以剪裁，使其適合尺度，也非想像不爲功。要把所得的材料加以調整，構成所要的東西，更非想像不爲功。想像抽這一個印象底這一節，又抽那一個印象底那一節，構成一個新意境，構成一個詩的世界。

還有幾樣東西，不是言語所能說得明白的，也提倡影子。

第一，新詩在詩裏本是要圖形式解放的，那麼就甚麼體裁也不能拘，而尚自由的體裁。次則遣詞要質樸而命意要含蓄。紅樓夢所以令人百讀不厭呢，因為他底命意都不是裸然顯露的。含蓄並不是要隱晦；明瞭並不是不能含蓄。甚麼『溫柔敦厚』哪，是屬於作家個人的修養和社會底風教，和這個無關；不過使言有盡而意無窮，令讀者一唱而三歎，卻是藝術上可以做得到的。不然，一看就盡，味同嚼蠟，還有甚麼好處呢？再次則神祕固不是詩裏必須的東西，但因其中乎人類底天性，也可以興起一種美感，所以有時因想像而涉於神祕，也正不必排去的。最後就是風格要高雅。怎麽樣才是高雅？ 這是很難說的，而且也非純靠藝術所能達到的。 我在這裏，只好要求新詩人自己努力於人格底完成罷了。

「四圍底人籟都寂了。
只有她纏綿的孤月
儘照着那碧澄澄的風波
磴着船兒里綢繖地響。
我知道人底素心，
水底素心，
月底素心——一樣。
我願水送客行，
月伴我們歸去！」

(四)

新詩底大旨大概不錯了。我對於他還有幾條意見，也
不妨拉雜寫出來：

（一）新詩在詩裏，既所以圖形式底解放，那麼舊詩裏
所有的陳腐規矩，都不妨一律打破。最戕賊人性的是格律
，那麼首先要打破的就是格律。新詩並不就是指白話詩：
白居易底詩老嫗可誦，宋儒好以白話人詩，宋元人底詞曲也
大體是白話．但我們不能承認他們是新詩。新詩也並不就
是指散文的詩：論語紀子路遇荷蓧丈人底事，陶潛底桃花源
詩記和屈原宋玉蘇軾他們底幾篇賦，都可以說是散文的詩，
但我們也不能承認他們是新詩。對於文學，在「當代人用

語」底原則裏，我主張做詩的散文和散文的詩。就是說，作散文要講音節，要用作詩底手段；作詩要用白話，又要用散文的語風。至於詩體列成行子不列成行子，是沒有甚麼關係的。

每每詩裏必要用韻，就好用韻來敷衍，以致詩味淡泊，不堪咀嚼。新詩重在精神，不必拘韻；就偶然用韻以增美底價值，也要不失自然。

修辭的工夫雖不可少，但絕不可流於過飾；葩藻之詞盛，自然言志之功隱了。所以我們底詩，要在質樸，眞摯，清潔裏討生活，不要在典麗，矯飾，穠豔裏討生活。但不過飾呀，並不是說可以蓬頭跣足。西子花鈿宮裝，固有損她自然的美；要使她蒙一塊下簾布見客，人又不能不掩鼻而過之了。

還有，文法也是一個偶像。本來中國文裏，沒有成文的文法；就使有文法，只要在詞能達意底範圍裏，也不宜過拘。在散文裏要顧忌文法，我已覺得怪膩煩的；作詩又要奉戴一個偶像，更嫌沒有自由了。而且零亂也是一個美底元素。我們只求其美，何必從律？杜甫底「紅稻啄餘鸚鵡粒，碧梧棲老鳳凰枝。」這種的倒裝句法，本爲修辭家所許可的，不能以通不通去責他。所以我在詩壇，要高唱「打破文法底偶像！」

（二）新詩和舊詩，是從形式上分別的。一種形式可以裝勿論甚麼種精神。所以新詩不必要裝一種新主義，以至勿論一種甚麼主義。即如白話文端端是一個形式的東西

：可以拿來作鼓吹無政府主義底傳單，也就可以拿去作黃袍加身的勸進表。　新詩也是一樣：可以嘲咏風月，也就可以宣揚風教；可以誇耀烟雲，也就可以諷切政體；可以寫「男的女的都在水田裏，」也就可以寫「鴛鴦瓦冷，翡翠衾寒。」　就說平民的文學罷，一種是實寫平民的生活，一種是使平民都能了解。

「腰鐮刈葵藿，倚杖牧雞豚。」

可算是實寫平民的生活了；而我們不能當他做新詩。

「不採湖中紅藕；不認風前烏臼。　留取一絲情，繫在白門疎柳。　回首，回首！　看是誰將心負！」

可算使平平都能了解了；而我們也不能當他做新詩。　反之，把東西洋舊時謳歌君主，誇耀武士底篇章，用新詩底形式譯出來，我們卻不能不承認他是新詩。可見詩了詩，主義了主義，新詩固不必和甚麼新主義一致了。

進一步說，就是在文學上底甚麼主義，新詩也不必有的。和古典的不相容，不用說了；就是甚麼浪漫的哪，自然的哪，象徵的哪，也不是一個新詩人自己該管底事。我們做詩，儘管照我們自己最好的做去，不必拘於一格。至於我們底作品究竟該屬於那一格，留給後來文學史家作分類底材料好了！

這些，勿論怎麼樣，總是真理上底事；主義上我卻怎麼樣呢？我認識「我」就是宇宙底真宰。我想完成「小我」以完成「大我」。我認識做人是我們底事業，發揮人性是做人所必具底條件。　我想從獸性和神性中間找出人性來。　我認識勞動是我們底天職，田野是我們底花園，勞動者是我們底好朋友。　我想和些好朋友，走到花園裏，去找詩的生活去。

（三）新詩的精神端在創造。　因襲的，摹仿的，便失掉他底本色了。　做一首詩，就要讓這一首詩有獨具的人格。　如果以前有了這麼一種詩情，以後的就不必再作了；因為兩美並立，便兩敗俱傷，何必多此一舉呢？　而況事實上並不能兩美並立麼？

（四）詩和詞底分別，也只在乎形式而不在乎精神。所謂「詞士輕偷，詩人忠厚，」只關一時代底風化，不能推以為詩和詞底分別的。　詞和曲底分別也是這樣。　新詩既可以創造，「新詞」「新曲」又有甚麼不可以創造呢？　所以有不講格律，而其體裁風格和詞曲太相近的，我便想要强分他爲「新詞」或「新曲」。

　我所以要分出「新詞」和「新曲」，是怕把新詩底體裁風格混皁了——其實不必。

　我以爲就是一種形式的東西，也各有其獨具的精神。如詩如詞如曲，以至新詩「新詞」「新曲」，都該各有領域，不容相混。　要做舊詩，就要嚴守格律。　塡詞就要倚聲；作曲就要按譜。　我們依格律作一首白話詩，只能叫他做非古典主義的古詩或律詩，不能叫他做新詩。　一樣，我們用白話作的詞或曲，也只能叫他做非古典主義的詞或曲，不能叫他做「新詞」或「新曲」。　甚且就勿論用文言或白話作一種講格律底東西，如果錯了些須規矩，就不能還說他是那樣東西。例如塡一闋燭影搖紅，我們改了幾個平仄節奏，就不能還說他是燭影搖紅，最好給他另起一個名字。因爲我們自己底東西要保有個性，就不能不尊重別人的個性啊。

（五）新詩也可以唱的。因爲只要有一串聲音就可以唱的。

這個話不用我註釋。朱熹答陳體仁底信裏說：

「來敎謂：「詩本爲樂而作，故今學者必以聲求之；則知其不苟作矣。」此論善矣。然愚意有不能無疑者。蓋以虞書攷之，則詩之作，本爲言志而已：方其詩也，未有歌也；及其歌也，未有樂也；以聲依永，以律和聲。則樂乃爲詩而作，非詩爲樂而作也。」

那麼新詩可以唱就勿庸疑了。

我很願能爲新詩製成些樂譜。但一種樂譜只許套一首新詩；而一首新詩卻可以有幾個樂譜。——

（六）詩是主情的文學；詩人就是宇宙底情人。那麼要作詩，就不可不善養情。

但是，感情和知識是每每不能並容的。我們底知識夠了，我們底感情就薄了；又怎麼樣呢？我想只好讓感情和知識各向偏方面發展，而不必取其調和。就是說：在科學上要痛用知識，而不摻入感情；在詩上要痛抒感情，而不必顧忌知識。（我還說，在事業上要痛持意志，而不可爲感情知識所動搖呢。）

科學給我們說：花是生殖植物底器官；戀愛是獸慾的衝

動；就人間種種精神上底動作，也不過是物質的要求罷了。這麼說來，詩人就根本破產了！ 我們在這裏，只好放下知識，任我們底衝動去做；衝動到了那裏，我們就做到那裏。就使知識明明給我們說，世界底前途沒有希望，我們至少也還要存個悲觀；因爲就是悲觀，也還有些悲哀的情緒，也就還可以有爲。 要是因爲知識到家之故而生超苦樂觀，那就不免要喪失人性了！ 正要知其不可而爲之，才是人生底趣味呵！

（七）詩起原於自己表見底藝術衝動。 當其自己表見底時候，有實用底意義和價值；及其既成，便覺得有精神的美，而生一種神祕的快樂，又有快樂底意義和價值。 所以詩是「爲人生底藝術」，和「爲藝術底藝術」調和而成的。

但有偏主前一說的說，詩不問工拙，唯其志。又有偏主後一說的說，詩不問善惡，唯其美。實際，沒有志不能作詩，既成詩就終歸是言中有物的；而沒有美便不成其爲詩了。不過詩底風格，繫乎作家底人格。即如朱熹說，『齊梁間人詩，讀之使人四肢皆懶慢不收拾。』人間固有以四肢皆懶慢不收拾爲美的，能使人這樣，就是他們底藝術；只是風格太卑了。我們說詩，處處都要他於世道有補，固未免『頭巾氣』太重，然而在自己表見之內而不能以最高尙的人格表見於最高雅的風格裏，也是詩人底羞了！

唉！不諳高山流水之韻的呢，打骨牌就工了。不樂縞衣綦衿之雅的呢，綠衣黃裳就美了。爲了人生，我們怎麽可以不唱詩底高調呢？

（八）「平民的詩」，是理想，是主義；而「詩是貴族的」，卻是事實，是眞理。 怎麼說呢？ 藝術衝動底起，必得當人生靜觀底時候。 我們正役心於人生底奮鬬，必不能作詩。 即如說伏羲以佃以漁，作網罟之歌，恐怕也是要罷網底時候才能作的。 大多數，大多數的人是終日奮鬬的。 我們不能使大多數的人作詩，足證詩底起原是貴族的了。 又，審美觀念底起，也必得當人生靜觀底時候。 我們正役心於人生底奮鬬，必不能作藝術底鑑賞。 即如西湖底「船家」，我們要問他談湖光怎麼樣瀲灩，山色怎麼樣空濛，他一定是含糊答應的。 大多數，大多數的人是終日奮鬬的。 我們不能使大多數的人都得詩底享樂，足證詩底效用又是貴族的了。 而從歷史上觀察，社會是進化的；但詩也是進化的。大多數的人文化程度增高，少數人底文化程度更增高了。我們沒有法子齊自然底不平等，那麼據過去而算將來，詩又有十之八九是貴族的了。

惟其詩是貴族的，所以從歷史上看，他有種種形式的變遷，而究其實一面是解放，一面卻是束縛，一面是容易作，一面卻是不容易作好。我們看從三百篇以至詞曲，作品底數量疊有增加，而其重量和數量底比例率恐怕只有減少，就可以知道了。

惟其詩是貴族的，所以詩儘可以偏重主觀，觸物比類，宜其性情，言詞上務求明瞭，只盡力之所能及而不必強求人解——見仁見智，不是作者所宜問的。

勿論怎麼樣，感情終歸是不可以理解的。眞理雖是還樣，我們卻仍舊不能不於詩上實寫大多數人底生活，仍舊不能不要使大多數的人都能了解，以慰藉我們底感情。所以詩儘管是貴族的，我們還是儘管要作平民的詩。夜深了！夜深了！我們總渴盼明天快天亮喲！

「我們叫了出來，
我們就要做去。」

(五)

好，要說到新詩底創造了。不過這是沒有挨方子的，只好略述我自己底經驗。

新詩底創造，第一步就是要選意。在詩人底眼裏，宇宙就是一首大詩。所以詩意是隨時有的，只等我們選其味兒濃厚的寫出來罷了。　我們說選意，卻不是有意去選，而是無意去選。　就是說，有了深刻的感興，又迫於藝術衝動，不得已而後作；如果有幾分得已，覺得也可以不作，那便是這個詩意不好，竟可以爽性割愛；或者覺得棄之可惜，而筆又不願意寫，那便是我們底詩興不濃，也可以爽性割愛。

意選好了，覺得非作不可了，就要佈局。　要把所有這首詩裏底意境搜出來；要把所有搜出來底東西剪裁過來；要把所有剪裁過底東西排列起來。　佈局就是詩意底整理；體裁就是佈局底形式的表現。

局佈好了，就要環境化。　就是說，要把自己化入這個詩意底環境，或者讓這個詩意底環境化入自己底想像。　這就是要使我底感興更深，要使我底印象更覺得鮮明濃麗。

環境化了，就要寫。要隨口寫；要隨心寫；要一氣呵成地寫。

寫好了，最後還要讀。讀就是批評。要當做別人底詩讀，不要當做自己底詩讀。讀着有不順口底地方，就是音節不好，可以把他改了。讀着有不稱心底地方，就是體裁或其他的東西不好，也可以把他改了。讀過後覺得興味蕭然，不能引起我感興底再生，就是這首詩根本不好，根本沒有存在底價值，那麽簡直可以把他燒了。

一讀，二讀，三讀，通過了——這首詩做好了。

「斑爛的石色，
赭綠的草色，
和這紅的，黃的，紫的，藍的，白的，鬆鋪在一地底山花相襯。——人壓在半天裏。
這麼一塊紮細花的破袖！
花草都含愁，
爲着落日，也爲着秋。
我說，「不用愁呵！
天地不老，我們都正在着花呵」——！」

（六）

勿論一件甚麼事，都不是偶然可以做到的，其間必有許多的關係。我們要明白這許多的關係而一一有一種預備底工夫，這件事就可以迎刃而解了。「割雞焉用牛刀？」固然不錯；卻總不能不用「雞刀」。就是「雞刀」，就要有十分的預備。先要把鐵匠找好，把鋼煉好，把刀打好，把鋒口磨好，把割雞底手段練習好，然後才不至於臨時無措。其實這是很經濟的；因爲可以供很久的應用。作詩譬如割雞，也要從根本上預備工具起。新詩是新詩人創造的；那麼要預備新詩底工具，根本上就要創造新詩人，——就是要作新詩人底修養。

一個新詩人要怎麼樣修養呢？

（一）「問渠那得清如許？爲有源頭活水來。」不是說要清源才有清流麼？我嘗說：「蘇軾底文章以理勝，韓愈底文章以氣勝；而他們倆的都能出奇制勝，奔放自如。但初讀蘇軾的，覺得他底文筆很好；而繼讀韓愈的之後，才覺得他的一落千丈了。這就是他人格底高尙不及韓愈。」推到詩壇，要得高雅的作品，先要詩人有高尚的理想，優美的情緒；要得他有高尚的理想，優美的情緒，先要他有高尚的人格；要得他有高尚的人格，先就不可不讓他作人格底修養。

人格是個性的。我們完成我們底個性，使他盡量從偏方面發展，就是完成我們底人格。如李白底飄逸，杜甫底沈鬱，高適岑參底悲壯，孟郊賈島底刻苦，都各有所偏；偏到盡頭，就是他們人格底真價。如有主張中和的，就要極端偏於中和；中和到盡頭，也就是他人格底真價。人格底修養沒有甚麼，只是要發展一個絕對的個性罷了。

（二）作詩本來靠天才，但知識不充，就天才也有時而盡。所以又要有知識底修養。杜甫說，「讀書破萬卷，下筆如有神！」這就是他親筆的供狀，就是知識修養底第一個條件。但讀書並不是說止於詩學一類底書，更須及於美學，修辭學，社會學種種，而自然科學也須加以涉獵。他底第二個條件就是觀察。觀察有兩種作用：一種是證明書本的知識；一種是攝取經驗的知識。觀察有兩個對象：一個是自然，要窮究宇宙底奧蘊；一個是社會，要透見人性底眞相。

（三）學問叫我們能知；藝術叫我們能做。所以又要有藝術底修養。這個可以得兩種方法。直接的方法，在乎實習；只須我們常做，自然我們底藝術日比一日的好起來了。間接的方法，在乎從旁而取觀摩之資。美在詩裏形式的表見，屬於空間的是詞句，是體裁；屬於時間的是音節，是風格。　而可資以爲觀摩的，又可以得兩件事。　第一是多讀有價值的作品：不但中國的要讀，就外國的也要讀；不但要讀詩，並且要讀美的散文；並且讀底時候，要看上眼，聽上耳，讀上口。　第二是多習幾種美術：圖畫可以使我們底詩裏有色；音樂可以使我們底詩裏音節諧和，雕刻造型種種美術可以使我們作詩曲盡戲劇的作用之妙；只是習底時候，也要看上眼，聽上耳，做上手。

（四）詩是主情的文學，已經再三說到了。　沒有濃厚的情緒，甚麽詩也作不好的。　所以，最後，還要有感情底修養。　關於這個，有三件事可以做的。　第一是在自然中活動。　作詩要靠感興；而感興就是詩人底心靈和自然底神祕互相接觸底時候感應而成的。　所以要令他常常生感興，就不能不常常接觸自然。朋友宗白華君說：『直接觀察自然現象底過程，感覺自然底呼吸，窺測自然底神祕，聽自然底音調，觀自然底圖畫。風聲，水聲，松聲，濤聲，都是詩聲底樂譜。花草底精神，水月底顏色，都是詩意詩境底範本。』他底話要是不錯，那麼自然又不僅是僅詩的妙樂，並且是詩料底製造廠了！第二是在社會中活動。感情裏最重要的元素是同情；而其最，最重要的，更是對於人間底同情。同情是物理上底共鳴作用，是要互相接觸才能生的。而同情底深淺又和互相接觸底次數成正比例。秀才對於八股文有濃厚的同情；因爲他底比鄰只是八股文。逛世家對於人生沒有同情；因爲他見着人生就跑，所以愈跑就愈遠了。我們要對於人間有同情，除非在社會中活動。我們要和社會相感應而生濃厚的感興，因以描寫人生底斷片，闡明人生底意義，指導人生底行爲，庶幾可以使詩無愧爲爲人生底藝術。第三是常作藝術底鑑賞。因爲不過美底生活，不能免掉人生底乾燥。如音樂，如圖畫，如文學，種種藝術，非常事鑒賞，不足以高尙我們底思想，優美我們底感情。

總之，勿論一件甚麼事，都不是偶然可以做到的。惟願我們以最經濟的方法，努力做去罷了。

『多挖幾鋤，
多收成幾顆。』

一九二〇年三月二十五日，初稿於上海，
一九二一年四月五日訂正於美國。

中華民國十一年三月初版

草兒（全）

每册定價洋八角
外埠酌加郵費

著者　康白情

發行者　亞東圖書館
上海五馬路棋盤街西首

印刷者　亞東圖書館
上海五馬路棋盤街西首

分售處　各省各大書店

少年中國學會的月刊
全卷合裝檢閱最便

少年中國

本月刊的宗旨就是本科學的精神，爲文化活動，以創造『少年中國』。

一卷 洋裝一册 一元七角
平裝二册 一元四角

一卷 洋裝一册 一元七角五分
平裝二册 一元四角五分

少年世界

本月刊的宗旨，是作社會的實際調查，謀世界的根本改造。

一卷 洋裝一册 一元八角
平裝二册 一元五角

上海亞東圖書館發行

特刊是幾個對於某問題深有研究
的人合作的，所以看特刊是
研究問題最經濟的方法。

少年中國特刊 詩學研究號…（兩册定價四角）
少年世界特刊 婦女號…（两册四角五分）
少年世界增刊 日本號…（两册定價三角）
少年中國特刊 宗教問題號…（两册三角九分）

上海，亞東圖書館發行

胡適文存

全書由胡先生親自編定，分為四卷：有的文章是發表過而修正的，有的是不曾發表過的。

『沒有一篇不用氣力的文章，沒有一句自己不深信的話』。

△卷一，論文學的文

△卷二與卷三，帶點講學性質的文章。

△卷四，雜文。

洋裝兩冊兩元八角

平裝四冊兩元二角

亞東圖書館發行

吳虞文錄

先生知道孔子之道何以不合現代生活？先生對於孔教懷疑到什麼地步？不可不看吳又陵先生的這部集子。

這部集子裏的文章，大半是對於孔教的討論和批評。他是用實際的效果去批評他的。他的方法是最嚴厲，而又最和平。

全書一冊定價三角

亞東圖書館發行